Travessera de Gràcia, 47-49
08021 Barcelona

Colaboración coloristas: Pam López y Esaese Estudio
Diseño y maquetación: Araceli Ramos

Primera edición: mayo de 2012

ISBN: 978-84-488-3336-7
Depósito legal: B-5635-2013
Imprime: Gráficas 94
Encuaderna: Baró

BE 3 3 3 6 7

Willy Fogg • Moni Pérez

EL RETORNO DEL DOKTOR EKLIPSE

Beascoa

SÚPER ÓRBITA
PODERES: Ninguno.
VENTAJAS: Con un CI de 555, es la mente científica más brillante del planeta.
DEBILIDADES: Coqueta y algo vanidosa. No puede vivir sin chicles.
MÍSTER PROTÓN
PODERES: Volar, superfuerza . . . y quién sabe que más cosas.
VENTAJAS: Leal y decidido. Capaz de cualquier cosa por su familia.
DEBILIDADES: Lento de pensamiento. Su metabolismo acelerado le hace consumir grandes cantidades de comida.

PODERES: Puede volver inmaterial cualquier objeto y superficie o a sí mismo.
VENTAJAS: Decidido, valiente, dispuesto a correr riesgos y entrar en acción.
DEBILIDADES: Imprudente, irracional e inconsciente del peligro.

PODERES: Emite ondas electromagnéticas en diferentes frecuencias e intensidades.
VENTAJAS: Observadora, lógica y reflexiva, es una gran estratega.
DEBILIDADES: Falta de iniciativa. Incapaz de saltarse las reglas.

LASERCÁN

PODERES: Se transforma en luz y puede moverse tan rápido como ella.
VENTAJAS: Un extraordinario olfato. Conoce todos los rincones de la galaxia.
DEBILIDADES: Es un poco sentimental y a veces se despista facilmente.

La Vía Láctea es nuestra galaxia, una más de las muchas que flotan en el vacío del Universo. Unas doscientas mil estrellas dan a la galaxia su forma de espiral, con cuatro brazos que se curvan hacia fuera. Acerquémonos, rápido, rápido, a uno de sus brazos más grandes, el de Perseo. El brillo de incontables estrellas nos envuelve y nos fijamos en una de color rojo, bastante fría a pesar de su color, que pasa los eones entretenida con tormentas de radiación y gigantescos arcos de plasma. A medida que nos aproximamos se va haciendo más y más grande, y poco a poco podemos ver el brillo de cuatro planetas que giran alrededor de nuestra revoltosa estrella. Esta estrella se llama Dlon. Es bastante corriente y a la vez muy, muy especial: bajo su débil calor sobrevive un planeta rojo y negro. Allí se puede encontrar algo muy raro en el universo: la vida. El nombre de este planeta es Krgonia, y bajo la capa de tóxicas nubes negras hay mares de acetileno, continentes de hierro y algunas, aunque no muchas, formas de vida. Dolerons, frjolirs, brottnnts, kgares, pasivoros, insktrs... todos están ahí, pero hay que fijarse mucho para verlos. Y entre todas estas formas de vida hay una muy especial porque es inteligente: los Krgonz. Los Krgonz existen desde hace mucho mucho tiempo, (su estrella, Dlon, ya no les presta atención) y se han expandido por todo el brazo de Perseo, construyendo naves estelares y armas temibles. En la Gran Ciudad Nido Krg, de los millones de trabajadores, miles de soldados y decenas de guías de este planeta tan especial, vamos a fijarnos en un individuo fuera de lo común: la única hembra de toda esta raza, que lleva milenios dirigiendo el destino de gran parte de la galaxia.

5 La emperatriz Krgonz

La emperatriz Krgonz

En la gran ciudad nido Krg, las grandes puertas se abren lentamente. Dentro de la sala, la corte imperial espera en el más absoluto silencio. A este lado de las puertas, nuestro viejo conocido el Doktor Eklipse, general y científico, espera nervioso la audiencia con Su Imperiosa Majestad. Las puertas se abren y los 9999 Krgonz de todas las castas que componen la corte imperial aguardan, formados en escrupuloso orden. Todos a una, como si fuesen parte del mismo ser, se colocan formando un pasillo. El hombrecillo verde, cabizbajo e intimidado, camina despacio entre hileras de soldados que le doblan

en tamaño. Al final del pasillo se encuentra el trono imperial, elevado hasta el centro mismo de la sala esférica. Sentada en él, una majestuosa figura mira al infinito: es Su T.emible E.xaltada M.ajestad, E.terna D.ama del Imperio, corazón, alma y futuro de la raza Krgonz. Al Doktor Eklipse le tiemblan las rodillas mientras se acerca a ella. Se detiene en el centro de un círculo que la corte imperial forma ante él, indicándole que debe detenerse. El Doktor se arrodilla y mira al suelo, aterrorizado.

–Querido Doktor Eklipse. Me habéis fallado.

La voz de Su T.E.M.E.D del Imperio resuena en 9999 gargantas, pues la Emperatriz nunca habla por sí misma. Su poder mental pone palabras en las gargantas de la corte, cuyos movimientos maneja también como si fuesen marionetas.

–Su Temible Exaltada Majestad Eterna Dama

5

del Imperio, ¡me arrepiento! Me postro ante vos con el fracaso como única ofrenda, a pesar de que mi deseo era postrarme igualmente ¡pero con un planeta lleno de nuevos esclavos a vuestro servicio! –la voz del Doktor tiembla, pero algo dentro de él se resiste a creerse ejecutado aún. Si pudiera llamar la atención de Su T.E.M.E.D sobre el planeta Tierra...

–Ahh... sí... ese planeta... la Tierra... ¿Qué lo hace tan especial, Doktor? ¿Por qué arriesgarías tu carrera y tu vida por traérmelo?

Diez mil voces hacen que la pregunta sea escalofriante, ineludible. El Doktor mira a su alrededor, inquieto. La corte al completo lo mira expectante, con los ojos vacíos de inteligencia. Hay una voluntad detrás de ese mar de cuerpos.

–Miles de millones de esclavos Alteza Imperial. Y lo que es aún mejor: ¡presuntuosos, orgullosos, débiles y sin tecnología!

–Y aún así Doktor, fuiste derrotado por esos seres primitivos y egocéntricos y vuelves a mí con las manos vacías y habiendo perdido tu nave –aunque el tono de voz es neutro, la corte que le rodea empieza a avanzar lentamente hacia él, cerrando el círculo a su alrededor.

–¡Fue un súper humano alteza! –La voz del Doktor delata su pánico, mientras mira aterrorizado a la corte. El espacio a su alrededor disminuye por momentos.

–¡Uno solo de entre todos!, ¡una mutación genética, alguien con poderes extraordinarios!

De pronto, los 9999 cuerpos se detienen.

–Mutación… Poderes extraordinarios… –murmura la Emperatriz Krgonz.

–¡Sí, Su Alteza Imperial! ¡Genes de primera calidad! Vuelo, una fuerza increíble, invulnerabili-

dad… el siguiente enjambre Krgonz sería imparable, ¡subyugaríais a todos los pueblos de la galaxia! –al Doktor le brillan los ojos: ha visto la salida, la forma de salvarse. Y quizá, la oportunidad de volver a ese miserable planeta y ajustar cuentas con ese súper humano y su clan.

La Emperatriz se pone en pie, al mismo tiempo que toda la Corte se postra ante ella. Solo el Doktor permanece en pie durante un instante. Luego mira a su alrededor, sorprendido, y se arrodilla con rapidez.

–Háblame de ese súper humano, querido Doktor…

Tecnología alienígena

Vayamos a ver qué hacen nuestros héroes y dejemos a nuestros villanos pensar y maquinar en el lejano planeta de Krgonia, media galaxia más allá. ¡No queremos enterarnos de sus planes antes de tiempo!

En un abrir y cerrar de ojos ya estamos en la Tierra, en Kinesia. Hileras de casas se extienden por las afueras del pueblo, cada una con un jardín, una valla a su alrededor y una chimenea en lo alto. Una figura familiar vuela sosteniendo una enorme piedra y desciende lentamente hacia uno de los chalets.

Míster aterriza en el porche y coloca su souvenir

en el césped. Mira satisfecho el meteorito mientras se sacude el polvo interplanetario de la ropa. Lasercán se quita las gafas de sol y lo saluda desde un rincón del jardín donde, relajado, lee una revista en una tumbona.

–Cariñoooo... ya estoy en casaaa...

–¡Míster! ¿Qué es esto pichurrín?

–Es un recuerdo del cinturón de asteroides. ¿A que parece un pez? –Míster gira la enorme roca para que la Doctora vea mejor el pez. La Doctora arruga los ojos. Allí no hay ningún pez.

–Ehhh... sí cariño, una piedra preciosa.

–¡Mamá, papá! –Nico y Maya entran corriendo y se quedan clavados en el sitio, mirando la roca que ocupa casi todo el jardín.

–¡Cómo mola, es un pez! –exclama Nico, subiendo de un salto a la «cola» del «pez».

Míster asiente satisfecho y se gira hacia su

mujer como diciendo: «¡Te lo dije!».

–¡Tengo un diez en mates, tengo un diez en mates! –grita Maya agitando sus notas mientras hace un pequeño baile.

–¡Enhorabuena Maya! –la felicita su madre.

–Yo también tengo buenas noticias –anuncia Nico–. ¡Me han readmitido en la liga de Cero! He de prometer que no usaré mi poder, y la junta de árbitros revisará los vídeos de los partidos para asegurarse de que no lo hago... ¡pero puedo volver a jugar!

–Menos mal, porque ya llevamos dos partidos perdidos –dice Maya–. El equipo Átomo no es lo mismo sin ti Nico.

–¡Bien hecho niños! Y ahora... creo que vuestra madre también tiene algo que enseñarnos ¿no? –Míster mira, expectante, a su mujer.

–¡Exacto! Vamos al LAB y os lo cuento por el camino.

Se ponen en marcha, calle abajo, mientras la Doctora les explica sus ultimas semanas de trabajo.

Adelantémonos a ellos y vayamos hasta aquel edificio con forma esférica que se ve al final de la calle. Ese es el LAB (Laboratorio Avanzado de Biociencias), donde los científicos de Kinesia trabajan y realizan todo tipo de experimentos para crear las futuras tecnologías. En realidad es mucho más grande de lo que parece, pues tiene decenas de pisos subterráneos, entre ellos el -37, que es el que marca el ascensor cuando por fin se detiene. Toda la familia cruza las dobles puertas y entra en un enorme hangar subterráneo. En el centro, descansa una nave plateada de perfil afilado y con una enorme cúpula de cristal en la cabina.

–Aquí está: ¡la Cinetinave! –anuncia, orgullosa, la Doctora–. Ha sido un trabajo muy duro, nos ha costado mucho esfuerzo comprender la tecnología Krgonz. Hemos desmontado la nave de asalto que capturamos y usado sus motores para la Cinetinave. La cabina es un diseño nuevo, pensado para conseguir la máxima visibilidad y para que quepamos los cinco –la Doctora los guía hasta la Cinetinave y una rampa se despliega para facilitarles la entrada–. Quitando las armas, hemos conseguido aumentar la velocidad en un

20% y la tecnología de sus escudos es fascinante: aunque parece frágil, esta preciosidad es capaz de aguantar muchos golpes. ¡Con la Cinetinave tendremos acceso al espacio próximo!
5

–¿Próximo? ¿Hasta dónde puede ir? –pregunta Lasercán interesado. A su lado, Míster finge escuchar con atención mientras Nico y Maya se sientan en todas las sillas y toquetean todos los mandos y botones.

–Bueno, la luna no es un problema, pero tardaríamos bastante en llegar a Marte o al cinturón de asteroides, y la Cinetinave no está equipada para un viaje tan largo. Lo mejor es usarla para acciones de reconocimiento y actuación de corto alcance. Ya sé que Míster y tú no tenéis problemas en el vacío del espacio, pero los niños y yo no tenemos esa suerte... bueno, quizá Nico con su poder... –murmura la Doctora pensativa–. Lo importante, niños, es que recordéis todas las lecciones sobre cómo usar vuestros poderes. ¡Habéis aprendido varios trucos nuevos! Maya, tienes que seguir practicando para emitir luz en diferentes frecuencias… y tú Nico, aún no dominas materializar solo parte de tu cuerpo. ¡Ah, una cosa más! Aquí, en la Cinetinave, tenéis un uniforme listo por si acaso… y los nuevos intercomunicadores. Así podremos coordinarnos.

–¡Molón! ¿Cuando podemos probarlos? –pregunta Nico cogiendo un intercomunicador, tan grande como un botón.

Muy pronto Nico, muy pronto… pues sin que los Cinco Cinéticos lo sepan aún, su archienemigo, el Doktor Eklipse, se aproxima a la Tierra con un encargo de la Emperatriz Krgonz…

5 Tecnología alienígena

¿Tormenta de meteoritos?

En algún lugar más allá de la órbita de la Tierra, un movimiento repentino altera la paz del vacío: una nave infiltradora Krgonz aparece de repente y entra en modo de camuflaje. En el puente de mando, el Doktor Eklipse se frota las manos y mira al puñado de tropas Krgonz que lidera en esta misión. En esta ocasión no está al mando de una nave nodriza, sino de una nave infiltradora mucho más pequeña y rápida. Tampoco tiene naves de asalto ni una legión de soldados del imperio, pero con el escuadrón de tropas de élite y el destacamento robótico de combate tiene más que suficiente para llevar a cabo la misión que le ha encargado la Emperatriz.

–Piloto, ponga rumbo al tercer planeta y active el destacamento robótico de combate alfa. ¡Todos a sus puestos! Mantenga el camuflaje y deme el control de los robots.

El Doktor se acomoda en el sillón de mando de la nave; monitores y mandos se encienden a su alrededor. Una compuerta se abre bajo la nave y cuatro bolas metálicas salen disparas hacia el planeta azul y blanco que aparece en la lejanía. El destacamento robótico de combate está en camino hacia la Tierra.

Las esferas metálicas atraviesan el vacío a gran velocidad. Su rumbo está calculado al milímetro y atraviesan la atmósfera dejando una estela de fuego tras de sí.

Mientras tanto, en el COLE (Centro Orgánico Lectivo Experimental) a Nico no hay forma de hacerle pensar en las matemáticas: solo puede pensar en el Cero. Absorto en sus fantasías, mira por la ventana imaginando los movimientos, las jugadas, la bola de Cero a toda velocidad dejando una estela de fuego… exactamente igual que esa estrella fugaz que se ve en el cielo... ¿Estrella fugaz? Nico se incorpora en la silla. Ahí hay otro... y otro... ¡una tormenta de meteoritos! Y parece que... ¡van a caer en Kinesia! Nico se pone en pie al grito de «¡Meteorito! ¡Todos al bunker!». En la clase se hace el silencio. Sus compañeros lo miran estupefactos y la expresión de la profesora pasa de la sorpresa al enfado.

–¡Nico!, basta ya de bromas, ¡siéntate! –le riñe Maya, muy enfadada.

–¡Pero... es verdad! ¡Mirad!

Nico se sube al pupitre de un salto y señala la ventana. En el cielo ya se ven cuatro llamaradas que se acercan a toda velocidad. La clase al completo, mira el espectáculo paralizada. En ese momento se enciende la pizarra-monitor y aparece el director del COLE un tanto alterado:

«¡Atención! El LAB nos ha alertado de una

tormenta de meteoritos. Que todo el personal del COLE acuda al Salón de Actos.»

–¡Já! ¡Os lo dije! –grita Nico.

La clase se convierte en un caos de empujones hacia la puerta. La profesora intenta poner orden mientras Nico tira de la manga de Maya para llamar su atención.

–¿Crees que debemos ir al LAB o refugiarnos con los demás? Esto no parece un problema que los Cinco Cinéticos puedan resolver...

–Vamos con los otros, Nico –dice Maya dando golpecitos en su comunicador de muñeca–. ¡Si papá y mamá nos necesitan, nos llamarán!

En el centro de Kinesia, la gente corre a buscar refugio en el LAB mientras el cielo se llena de fuego. Las cuatro esferas se dirigen hacia allí. Un rugido y un golpe de calor...

¡PAM, PAM!

5 ¿Tormenta de meteoritos?

...las dos primeras bolas metálicas impactan a velocidad supersónica contra el suelo y hacen temblar la ciudad.

¡PAM, PAM!

Las otras dos esferas del destacamento robótico de combate destrozan la tienda de bicis y la terraza de la hamburguesería Clon.

Las esferas se abren, y de ellas salen patas y brazos, y una cabeza con un visor rojo en el centro que observa todo el pueblo, analizándolo. Del interior de los robots surge una voz metálica:

–«Nnnnnkkkkk... Objetivo no localizado... nnnnkkkk... activando orden secundaria... Programa de combate veintitrés: Arrasar Ciudad...».

Los robots de combate abren fuego todos a la vez. Láseres y misiles impactan contra los edificios de Kinesia haciéndolos explotar en mil pedazos. Alrededor de los robots de combate,

todo es arrasado: solo quedan unos pocos edificios humeantes y el LAB, que ha soportado los impactos gracias a su blindaje.

–«Nnnnnnkkkkkkk... Programa de combate cinco: masacrar población... nnnnnnnnnnkkkkk».

–¡Eso ni pensarlo, bolas de chatarra!

Tres robots salen volando cuando Míster se lanza sobre ellos y los golpea con sus demoledores puñetazos. Los robots se pliegan de nuevo formando esferas que ruedan sobre las calles de Kinesia hasta chocar contra coches y edificios. En segundos, se abren de nuevo y los ojos rojos de los cuatro robots apuntan a Míster, que vestido con su uniforme de Míster Protón, los desafía en pose de combate.

–«Nnnnnnkkkkkkk... Objetivo localizado. Activar programa de combate uno: destruir objetivo... nnnnnnkkkk».

Parece que Míster tiene problemas.

Cuando los cuatro Robots abren fuego, Míster sale volando para esquivar los proyectiles. Los rayos láser, que cortarían una viga metálica, solo le causan arañazos que ni siquiera sangran, y las balas de cañón que destruirían un tanque apenas le dejan unos moratones. Míster se revuelve en el aire y, de una pasada, agarra a un robot del brazo, lo levanta en el aire y lo usa de escudo, justo cuando sus compañeros lanzan una oleada de misiles: decenas de proyectiles impactan en el robot de combate número cuatro, que a pesar de su fuerte armadura, echa chispas azules.

–«Nnnnk… desactivaciiiooooooón…».

La luz roja del visor del robot parpadea y se apaga.

–¡Uno menos! –grita Míster–. ¡Quedan tres! ¡A por el siguiente!

Con una llave de Aikido y su superfuerza, Míster le retuerce el metálico pescuezo a otro de los robots hasta que lo arranca del resto del cuerpo. Solo quedan cables y un enorme cortocircuito.

–«Nnnkkkk... decapitación... nnkkkk».

Pero a estas alturas la destrucción en el pueblo es considerable. Lasercán observa que desde que apareció Míster en escena, los robots de combate ignoran todo lo demás y se centran únicamente en él.

–¡Hey, Míster! Parece que van a por ti, ¡tú eres su objetivo!

–¿El objetivo soy yo? Entonces tengo que llevarlos a un sitio donde no hagan daño... ¡Arriba Lasercán! –grita Míster, echando a volar.

Los robots continuan disparando rayos y cañones, pero hombre y cánido esquivan los proyectiles y siguen ascendiendo hasta desaparecer tras una nube.

–***«Nnnnnkkk... Objetivo perdido. Activar programa de combate dos: perseguir objetivo...».***

Los dos robots esconden las cabezas dentro de sus cuerpos y retraen brazos y piernas, convirtiéndose en esferas perfectas. Una abertura en su

parte inferior brilla y, con un gran estruendo, se elevan como cohetes hacia el cielo, persiguiendo a Míster y al rayo rojo de Lasercán.

Combate estelar

Míster se concentra y aumenta la velocidad. El cielo a su alrededor pasa de azul a negro mientras deja atrás la atmósfera de la Tierra. A su alrededor gira el rayo rojo de Lasercán, que como es mucho más rápido, da vueltas alrededor de Míster para ir a su ritmo.

–Los llevaré hacia la luna –piensa Míster–. Allí podré encargarme de ellos sin preocuparme por los daños que cause en el combate.

Mientras, unos ojos malévolos observan la escena desde un lugar no muy lejano.

–Jejeje... bien, bien... el plan ha funcionado. Ahora ya está solo, sin nadie que pueda ayudarle.

Incrementemos el nivel de agresividad...

Una mano enguantada gira un dial hasta el máximo... ¡y los robots de combate aceleran hasta su velocidad punta!

–«Nnnnnnnnnnnkkkk... Instrucción reservada: ataque total... nnnnnnkk».

Los temibles robots de combate Krgonz, obedeciendo la orden, lanzan un ataque terrible sobre Míster: las balas se aplastan contra su piel, los láseres le arañan brazos y piernas, los misiles golpean su cabeza. Ningún arma es capaz de herirle gravemente, pero tantísimos golpes debilitan seriamente a nuestro héroe. Cuando termina el ataque, Míster, aturdido y maltrecho, aun se mantiene en pie. De su uniforme no quedan más que jirones, tiene los ojos hinchados y amoratados y cientos de heridas recubren su cuerpo. Pero, sin haber perdido una gota de sangre y aún con un brillo de furia en los ojos, se lanza sobre los dos robots restantes. El robot de combate número dos apunta a Míster con el láser pesado de combate, pero este

hace una finta al tiempo que el Láser se dispara, agarra el brazo del robot y lo vuelve contra su pecho, que estalla bajo el calor del potente láser. Solo queda el robot de combate número tres, que aprovecha la destrucción de su compañero para bombardear a Míster con otra mortífera andanada. Míster, mareado y a punto de desmayarse tras semejante paliza, lanza el brazo arrancado del robot de combate número dos con todas sus fuerzas. Este gira y... vuela veloz hacia la cabeza del último robot de combate... e impacta de lleno en su visor.

–«Nnnk... desactivaciooooón... nnkn».

El robot se apaga mientras cae hacia la luna, girando sin control en el espacio.

–¡Lo conseguiste Míster! –Lasercán da vueltas alrededor de Míster–. ¡Has acabado con todos!

Míster está deshecho. Asiente débilmente con

la cabeza. «Ahora mismo dormiría durante un mes y me comería un camión de hamburguesas», piensa mientras echa a volar de vuelta hacia a la Tierra.

Pero en ese momento, el plan del Doktor Eklipse se completa, con resultados funestos para nuestro héroe. La nave infiltradora Krgonz desactiva el campo de camuflaje y, con un breve borrón, se hace visible: tras el cristal del puente de mando, el Doktor observa la triste figura del magullado héroe mientras una malévola risa resuena en los altavoces externos.

–**¡MWAHAHAHAHAHA!**... ¡nos volvemos a encontrar, Míster Protón! Y veo que ya has conocido a mis secuaces del destacamento robótico de combate alfa... –el Doktor se frota las manos en su sillón de capitán, deleitándose con su victoria–. Ahora solo me queda terminar el trabajo

que me encargo la Emperatriz Krgonz...¡la que pronto será soberana de tu miserable planeta!..

¡MWAHAHAHAHA!

Del morro de la nave surge un haz de luz verde que rodea a Míster como si fuese una red. Este, con la cara desencajada de rabia, observa cómo la luz se entrecruza brillante frente a él. Extiende una mano para atravesar la barrera, pero la respuesta de la red es un chispazo y un enorme dolor que le sube por el brazo. Unas líneas verdes humean donde su piel tocó la luz.

–Contempla ahora mi última invención: ¡la Jaulaser! Ha sido diseñada con los más modernos láseres Krgonz, los emisores especiales de la nave hacen que el rayo se entrecruce ¡¡formando una trampa insalvable! **¡MWAHAHAHAHAHA!**

El Doktor manipula los controles de la Jaulaser que empieza a acercarse a una compuerta en el centro de la nave infiltradora.

Míster no tiene más remedio que

moverse con ella, con mucho cuidado de no tocar los bordes de la jaula de luz en la que está atrapado. Su cara de angustia refleja lo que pasa por su cabeza.

–¡Los robots eran una trampa! Estúpido de mí, he caído directamente en su red. Tengo que hacer algo, no puedo dejar que me atrape….

Sacando fuerzas de flaqueza, Míster aprieta los dientes y se lanza contra los rayos de luz que lo atrapan: un enorme chispazo continuo surge de la red y su movimiento se ralentiza hasta que apenas se arrastra. A pesar del increíble dolor, Míster empieza a atravesar los rayos de la Jaulaser.

Centímetro a centímetro.

El Doktor, en su sillón, frunce el ceño. ¿Cómo puede este humano intentar escapar? ¡Incluso está avanzando! Débil como estaba después de combatir contra los robots, ¡y a pesar de todo el dolor que los rayos de la Jaulaser deben de estar causándole!

Centímetro a centímetro.

–¡Vamos, Míster! ¡Lucha! –grita Lasercán sin saber qué hacer.

Centímetro a centímetro.

La cara de Míster es una mueca desencajada, cubierta de sudor que se evapora al instante en el vacío. El esfuerzo es enorme… ¡pero no puede dejarse atrapar!

Centímetro a centímetro.

Hasta que, con un grito, Míster cae hacia atrás, derrotado.

¡MWAHAHAHAHAHAHA! ¡MWAHAHAHAHAHAHA!

El Doktor ríe a carcajada limpia. ¡Su enemigo ha sido derrotado! ¡Misión cumplida! ¡Míster es su prisionero, y la Emperatriz podrá quitarle lo que desea!

Lasercán, que no puede soportar ver a Míster derrotado, se lanza hacia la jaula intentando atravesarla. Su rayo de luz se cruza con los de la Jaulaser y una enorme interferencia se desata, ocasionando un chasquido y un terrible estallido de luz.

Todo sucede en unos segundos: los emisores de rayos verdes de la Jaulaser estallan a causa de la interferencia. Las luces de la nave infiltradora Krgonz se apagan y toda ella pierde potencia. Sin poder maniobrar, la nave se aleja dando tumbos hacia la oscuridad del espacio. Míster sale despedido, inconsciente, girando hacia la luna. ¿Y Lasercán? Lasercán parpadea entre su propio color rojo y el verde de los rayos con los que ha hecho interferencia: sin control, completamente atontado, vaga sin rumbo por el espacio en forma de luz, mientras aún grita desesperado:

–¡¡¡... Míiiiiisteeeeeeer.!!!

En busca de Míster

Algunos días más tarde, La Doctora observa la luna tumbada en su lado de la cama. La otra mitad está vacía: desde el ataque, no se sabe nada de Míster. Han tenido tiempo de limpiar los escombros y comenzar a reconstruir la ciudad. Todos en Kinesia han ayudado, y la Doctora ha estado allí la primera, dando ejemplo. Pero durante ese tiempo, ha guardado un secreto terrible: el día del ataque, el radar de alta potencia del LAB siguió el vuelo de los robots, de Míster y de Lasercán. El radar detectó un enorme estallido cerca de la luna y después…

Nada.

En busca de Míster

Míster lleva ya siete días sin aparecer. Desde que lo conoce nunca ha sentido este miedo que ahora mismo le retuerce el estómago: miedo de que algo le haya pasado. La Doctora intuye que esta vez está en apuros, a pesar de todos sus superpoderes. De un salto, se pone en pie. No puede soportarlo más. En silencio baja las escaleras y sale de la casa. En el piso de arriba, Maya observa desde la ventana como su madre se aleja caminando.

–¡Nico, despierta! –dice Maya sacudiendo a su hermano.

–¿Ya? ¿Ya es hora de ir al COLE?

–No, pero estoy preocupada. Y mamá también, acaba de salir de casa a pasear. Y ya sabes lo que eso significa.

La Doctora siempre tiene las cosas muy claras, y las pocas veces que está confusa, suele andar y andar hasta que se le despeja la mente.

–¿Crees que está preocupada por papá?

–¡Pues claro, cabeza de chorlito! Creo que papá está en peligro... y nosotros tenemos que ayudarle. ¡Vamos, Nico, vístete!

–¿Pero, adónde vamos?

–¡Nos vamos a la luna!

La Doctora, entretanto, camina pensativa. Ya está bien de esperar y confiar en Míster. ¿Y si necesita su ayuda? Es hora de que Súper Órbita tome el control de la situación. Con paso firme se dirige al LAB. El ascensor se para en el piso -37, las puertas se abren y Súper Órbita no puede contener su sorpresa.

–¡Vamos Mamá, sí que has tardado! –le grita Nico desde la rampa de la nave, vestido con su nuevo traje de Neutrín.

Maya saluda desde la cabina haciendo gestos

de apremio, vestida también con su uniforme de Microonda. Un minuto después, el ruido ensordecedor de los motores de la Cinetinave llena el hangar. El túnel que surge de la pared se ilumina y la Cinetinave lo atraviesa a toda velocidad hasta salir despedida por el lateral de una colina, elevándose por el cielo de Kinesia mientras los primeros rayos del sol brillan en su fuselaje.

En el oscuro vacío del espacio, una nave infiltradora Krgonz se mueve en órbita inestable alrededor de la Tierra.

–¡¡Maldición!! ¡Que todos los insktrs y frjolirs

devoren al maldito cánido que se transforma en luz! ¡Mis generadores de la Jaulaser, reventados! ¡Las baterías de mi nave, rotas! ¡¡El motor casi inutilizado!! **¡¡AGGGHHHH!!** –grita el Doktor mientras golpea con el pie la consola del motor.

En ese momento, un sonido creciente y las luces encendiéndose a máxima potencia indican que el motor está funcionando de nuevo.

–¡Por fin! Esos patanes se han tomado su tiempo para hacer las reparaciones que les indiqué. No hay tiempo que perder... Teniente, ¿ha localizado el origen de la señal de rescate del robot de combate número tres?

–Sí, Su Malignidad, el robot de combate número tres esta dañado en la superficie del satélite del planeta, señor. El diagnóstico de daños indica perdida de visor y de energía, pero es fácilmente reparable... –informa el teniente.

–Su Malignidad, el escáner detecta una nave desconocida que se eleva de la atmósfera terrestre. También se dirige a la luna del planeta –anuncia uno de los secuaces.

–Hummm... interesante... ¡Activen el campo de camuflaje!... ¡Sigamos a esa nave!... Serán su hembra y sus cachorros... **¡MWAHAHAHAHAHA!**... ¡No son rivales para mí sin el grandullón!... **¡MWAHAHAHA!** Anoten la posición del robot de combate número tres para rescatarlo en cuanto lleguemos al satélite lunar.

–¡Allí! ¿qué es eso? –Microonda señala la pantalla del radar, donde un punto brillante parpadea irregularmente.

–Pero...¡si es Lasercán! –grita Neutrín.

Nuestro amigo cánido flota en el vacío del espacio, con su poder en cortocircuito: Al mezclar su propia luz láser roja con la luz verde de

la jaulaser, su poder alterna entre ambas luces y le deja desorientado, sin moverse y, por la cara que pone Lasercán, muy atontado. Unos minutos más tarde, Lasercán ya está dentro de la nave. La compuerta que separa la esclusa de aire del resto de la Cinetinave se abre y todos se abalanzan sobre Lasercán hablando a la vez:

–¿Dónde estábais? ¿Dónde está Míster, Lasercán? ¿Qué os ha pasado?

Pero al cánido alienígena no hay quien le entienda: **«¡¡M... fggg... kk... y lueg... krrr... bot de las... jjjjjkkkk... Dokt... rrggg... ister!!»**. Parpadea de verde a rojo, y se desplaza unos centímetros a izquierda y luego hacia arriba, con frecuentes interrupciones que le hacen incomprensible. Súper Órbita le examina con un escáner de mano y presiona botones haciendo cálculos.

–Microonda, prueba con un estallido de luz

roja en la frecuencia de la luz de Lasercán –ordena mostrando la frecuencia apropiada en el escáner–. Acuérdate Maya, la emisión de luz en una frecuencia concreta es uno de los nuevos trucos que hemos practicado con tu poder.

–Sí, mamá… pero no se me daba muy bien emitir la frecuencia exacta –Maya mira a Lasercán preocupada–. Si me equivoco, ¿qué le pasará a Lasercán?

–No lo sé, Maya… por eso es mejor que no te equivoques, ¿no crees? Tómate tu tiempo. Relájate. Tienes que emitir un impulso de la luz roja característica de Lasercán, exactamente esa frecuencia.

Maya asiente, extiende las manos y empieza a emitir una luz naranja suave. Frunce el ceño y el

color de la luz cambia poco a poco hacia el rojo.

–Bien... eso está bien... un poco más rojo Maya... no, no tanto... ¡ahí, esa es! ¡Estabilízala y emite el impulso! –la anima Súper Órbita mientras escanea la luz emitida por Microonda.

«3... 2... 1... ¡Impulso!».

De las manos de Microonda surge un estallido de luz roja que baña por completo a Lasercán. El compartimento de la Cinetinave se inunda de luz, y Súper Órbita y Neutrín se tapan los ojos para no quedar cegados. Cuando los abren, Lasercán está tumbado en el suelo jadeante, con la lengua fuera.

–¡Gracias, Maya! –dice, aliviado. Ya no parpadea y se le ve bien, sin cambios de color ni interferencias.

–Láser, ¿dónde esta Míster? –pregunta Súper Órbita con un tono de ansiedad.

–La última vez que lo vi, caía inconsciente hacia la luna... ¡y no pude hacer nada para ayudarlo!

–¡Rumbo a la luna entonces! –Súper Órbita se pone en pie decidida, se dirige al puente de mando de la Cinetinave–. Has sufrido un fuerte estrés Lasercán, ahora es mejor que descanses y te quedes en la nave... rescatarlo es asunto nuestro!

Una base en la luna

La Cinetinave aluniza con un suave movimiento. Una pequeña nube de polvo lunar se levanta del suelo y antes de que se pose, la compuerta lateral de la nave se abre deslizándose suavemente. Del interior surge una pequeña nave pilotada por Súper Órbita: es el vehículo de desplazamiento lunar. Todos llevan sus trajes espaciales de vacío y cubren sus cabezas para poder respirar. En la lejanía se ven unas montañas que, en realidad, son el borde de un enorme cráter. El deslizador avanza por la superficie iluminada de la luna hasta que la sombra creada por el labio del cráter lo cubre por completo. Un

escalofrío recorre los cuerpos de nuestros héroes. En el frontal del patín se encienden tres poderosas luces que iluminan la pared más cercana y muestran las compuertas metálicas hacia las que se dirigen.

–Mirad esas compuertas, ¡es increíble! ¿quién ha podido construir algo así? –la voz de Microonda suena excitada a través de la radio.

–No lo sé... pero el rastro de Míster lleva hasta aquí. La desintegración molecular programada en nuestros uniformes indica que pasó por aquí hace unos días –señala Súper Órbita.

Las luces del patín iluminan la enorme estructura. En el centro de la compuerta, un agujero de tamaño humano llama su atención.

–Sí, ese es papá seguro. Nadie más deja ese rastro –dice Nico.

El patín circular desciende frente a la com-

5

puerta y sus tres ocupantes bajan con un pequeño salto, que en la gravedad lunar, dura más de lo normal y los lleva más lejos de lo que están acostumbrados. Sin decir una palabra, se internan en la oscuridad de la misteriosa construcción. Unos minutos después, Súper Órbita encuentra un terminal de ordenador y se pone a trabajar.

–¡Es increíble! Este terminal es claramente de diseño alienígena, ¡pero de un proceso mental tan similar al nuestro que sigue las mismas pautas algorítmicas, al contrario que los sistemas Krgonz! –dice tecleando en una pantalla llena de símbolos extraños y letras ilegibles.

Mientras habla, una compuerta metálica se cierra tras ellos aislándolos del vacío lunar y otra se abre. La habitación se llena de aire y Nico, sin pensarlo dos veces, se quita el casco.

–¡Nico! –grita la Doctora– ¡Quitarte el casco ha sido una imprudencia! No sabemos si el aire es respirable… y aun así debemos ser cuidadosos. Esto parece un complejo grandísimo, una base.

¡¡Y es de origen alienígena!! No es Krgonz, eso seguro. Es mucho más antigua... Y ¡quién sabe con qué propósito fue construida!

–Si mamá, pero... ¿y papá? –murmura Nico, cabizbajo.

–Esperemos que ese loco de tu padre esté bien. Vamos. No toquéis nada.

Durante horas, los tres recorren largos pasillos repletos de puertas. Se mueven muy despacio, abriéndose paso por salas que parecen laboratorios químicos, salas de anatomía, centros de computación... Símbolos extraños marcan el camino y los pasillos están llenos de códigos incomprensibles. Maya se asoma por una puerta tras la que solo hay oscuridad. Unos veinte metros de vacío más allá, el rayo de su linterna se cruza con una máquina gigante cuyos extremos se pierden arriba y abajo en la tiniebla. En ese momento Nico la agarra del brazo, y Maya, sobresaltada, da un grito y salta hacia atrás, soltando la linterna que se precipita en la oscuridad iluminando docenas de máquinas como la que tienen más cerca... la linterna cae, con el rayo mostrando en su loco girar un largísimo espacio vacío y más, y más máquinas... hasta que del poderoso rayo de luz solo es un punto visible allá abajo y sigue cayendo...

–¡Nico, me has asustado! –grita Maya dando un puñetazo en el hombro a su hermano.

–¡Me pareció que te ibas a caer! ¡No me pegues por ayudarte! –protesta Nico.

Desde lejos se escucha la voz de Súper Órbita: «¡Míster! ¡Estás ahí!».

Los niños se miran con una amplia sonrisa y sin perder un minuto, echan a correr.

5 Una base en la luna

¡Amnesia!

Nico y Maya corren a abrazar a su padre, pero cuando entran en la sala no encuentran lo que esperaban. Míster flota en el centro de una sala que parece un comedor. Ante él, un enorme castillo de bandejas se eleva igual que un castillo de naipes. Míster coloca una más en lo alto y luego mira a Súper Órbita y a los niños extrañado.

–¡Hola!, ¿Qué hacéis aquí? Esta es mi casa. ¿Os gusta el castillo que estoy haciendo?

–Míster, cariño, te hemos buscado por todas partes. ¿Estás bien? –pregunta Súper Órbita ansiosa... algo no va bien.

–Bueno, estoy un poco magullado. ¡Y tengo mucha hambre! Pero, perdóneme señorita, no la conozco... ¡aunque me encantaría hacerlo!

Míster desciende hasta el suelo y se posa frente a Súper Órbita. Su uniforme está hecho jirones, y él está lleno de cortes, arañazos y moratones. La Doctora le mira preocupada.

–Cariño, ¿no me reconoces? ¿Y a los niños, tampoco?

–¡Pues no! ¡Hola, chiquitines! Encantado de conoceros. ¿Me ayudáis a hacer mi castillo?

–Perdida de memoria... amnesia... Espero que sea temporal –murmura la Doctora.

Detrás de ellos una risa resuena por toda la enorme sala.

–**¡MWAHAHAHA!**... ¡qué dulce reencuentro!

El Doktor Eklipse, con los brazos en jarras, los observa deleitándose, mientras media docena de

5

soldados Krgonz se despliegan detras de él con sus armas a punto.

–Es una pena que el grandullón esté un poco confuso, ¿no? Bueno... ahora vamos a ir todos tranquilamente hasta la entrada, y entonces...

En ese momento uno de los soldados, viendo que Nico se desliza poco a poco en la oscuridad, decide hacer un disparo de advertencia. El rayo de plasma impacta al lado de Nico, fundiendo el suelo donde hace un momento estaban sus pies. Y el caos se desata. Una alarma resuena a través de altavoces ocultos y TODAS las luces de la base se encienden al mismo tiempo. Se oye una voz alienígena:

–«AURELEAN!!, NICOFIN GEAN ARWUNENEAN, AURELEAN!!».

Súper Órbita aprovecha para coger del brazo a Míster y llevarlo hacia una de las salidas. Míster, confuso, se deja guiar por esa chica tan guapa.

–¡Microonda, luz! –ordena Súper Órbita.

Y Microonda usa un nuevo truco: extendiendo las manos emite un estallido de luz súper luminosa que ciega a todos los Krgonz durante un instante, el tiempo suficiente para que los Cinéticos puedan salir corriendo por uno de los pasillos.

–¡Tras ellos! –ordena el Doktor, parpadeando aún cegado por la luz.

Pero con lo que nadie había contado era con las defensas de la base, activadas por el disparo del soldado Krgonz: en cuanto los Cinéticos salen al pasillo, un cañón láser surge de una compuerta en el techo. El cañón gira hasta localizar al primer objetivo, que es Neutrín, y abre fuego.

Los proyectiles impactan en el suelo porque Nico, gracias a sus reflejos entrenados por el

Cero, salta y rueda atravesando una puerta lateral. Súper Órbita viene después; apenas le da tiempo a colocar a Míster delante y buscar refugio entre sus brazos antes de que el cañón los seleccione como objetivo. Los disparos se estrellan en la espalda de Míster sin hacerle daño y Míster solo puede pensar en la chica guapa a la que abraza.

–Señorita, es usted muy atractiva, ¿cuál es su nombre, está usted casada?

Microonda llega a la carrera y se detiene justo delante de la torreta. El armatoste se gira hacia ella, pero antes de que haga fuego, Microonda utiliza su poder para destruirla haciendo un gesto con los brazos. La torreta estalla, chamuscada por los rayos de Microonda.

–¡Vamos! –grita Nico, haciendo gestos por la puerta donde se ha colado.

Los tres cruzan a toda prisa. Míster a remolque de Súper Órbita que grita:

–¡Si, melón, estoy casada!¡Pero contigo!

–¡¿Casada conmigo, señorita?! Eso es imposible... lo recordaría, ¡créame!

Los Krgonz llegan justo cuando el siguiente nivel de defensas de la base se activa:

–«NICOFIN GEAN ARWUNENEAN GANDARVA DOLIN, AURELEAN!!».

Un neutralizador de gravedad se pone en marcha con un estruendo de motor arrancando, afectando a toda la sección del pasillo que, instantáneamente, se queda sin gravedad. Los Krgonz se elevan flotando en el aire, pataleando indefensos. El Doktor Eklipse ruge de rabia y rebusca en su cinturón miniaturizador. Tras unos instantes, manipula un aparato, y el neutralizador se apaga, haciendo que todos los Krgonz caigan

al suelo de golpe. Pero los Cinco Cinéticos ya no están allí. Corriendo a través de la base, se alejan lo más posible de los Krgonz. Tras ellos el Doktor Eklipse maldice a voz en grito:

–¡Os atraparé sucias sabandijas terrestres! ¡Os atrapareéeeee!

El inicio de los poderes

¿Qué le habrá pasado a Míster? Por lo que decía Súper Órbita, debe de estar sufriendo algún tipo de amnesia... ¿cómo harán para que recupere sus recuerdos y reconozca a su familia de nuevo? Busquémoslos en las profundidades de la base alienígena... ¡Ah, ahí están!, escondidos entre unas cajas en lo que parece un almacén, en la oscuridad, solo iluminados por una pequeña luz que emite Maya con sus manos.

–¡Pues ahora sí que estamos en un lío! –dice Nico, sentándose junto a los demás–. ¿De verdad no te acuerdas de nosotros? ¿No es una broma?.

Míster le mira con cara de no saber de qué va el asunto.

–No Nico, no es broma –suspira Súper Órbita–. El Doktor puso a Míster al límite de sus poderes y la explosión de la red láser pudo ser suficiente para provocar amnesia.

Súper Órbita coge a Míster de la barbilla y le fuerza a mirarla a los ojos.

–Tu nombre es Míster. Yo soy tu mujer, Súper Órbita, y estos son tus hijos, Nico y Maya.

–No sé… ¡no me acuerdo de vosotros! –Míster los mira extrañado y confuso.

–¿Y de qué te acuerdas? –pregunta Maya.

–Pues… yo vivía en un pueblo, un pueblo de personas muy listas: científicos y doctores –Míster intenta recordar frunciendo el ceño–. Trabajaba… de guardia de seguridad. En una cosa que se llama LAB…

Los tres lo miran esperanzados y asienten con la cabeza.

–Y ya no recuerdo más…

–Eso fue hace diez años. El pueblo se llama Kinesia, y yo también trabajo en el LAB: soy una de esas personas listas. En esa época aún no nos conocíamos… yo estaba acabando mi tesis con el proyecto de realidades alternativas. Antes de que adquirieses tus poderes –explica Súper Órbita.

–¿Diez años?... ¿Y cómo nos conocimos? ¿Qué poderes? –pregunta Míster, rascándose la cabeza.

–Después de muchos años de investigación y construcción, por fin estaba lista para probar mi prototipo de Generador de Apertura a Mundos Alternativos G.A.M.A. Esa noche tú estabas de guardia en la entrada del LAB, y muchas veces me has contado que ya antes te habías fijado en mí, de lejos, sin dirigirme la palabra –la Doctora se sonroja, con la mirada perdida, recordando tiempos pasados–. En el nivel -14 comenzaba el experimento: activamos el G.A.M.A, usando toda la electricidad de Kinesia para abrir un portal a otra realidad. Durante minutos observamos al G.A.M.A consumir enormes cantidades de energía, pero el portal no se abría. El experimento era un fracaso. Pero lo que no podíamos saber es que el portal no se estaba abriendo en el laboratorio del nivel -14, sino más arriba, en la superficie. Allí, mientras tanto, escuchaste un ruido extraño y viste luces en el parque. Dejaste tu puesto de guardia en la entrada del LAB y fuiste a investigar.

Míster escucha absorto, como transportado a ese momento.

–Lo que encontraste allí es algo increíble, que nunca has sabido explicar bien. Decías que ante ti flotaba algo parecido a un espejo ondulante que parecía hecho de agua o de mercurio. Al otro lado del espejo podías verte a ti mismo, o

más bien, a otra versión de ti mismo. Muy parecidas, pero no idénticas: En la gorra del Míster del reflejo no ponía LAB si no TAB; el uniforme era de un tono más verdoso, el otro Míster era un poco más alto. Pero los movimientos de los dos Míster a ambos lados del espejo eran los mismos. Mirándoos a los ojos os reconocisteis, y extendisteis vuestras manos para tocaros a través del espejo… –los niños están como hipnotizados por la narración, y Míster tiene baja la cabeza, los ojos cerrados–. Mientras todos en el LAB pensábamos que el experimento era un fracaso y todas mis teorías quedaban invalidadas, tú extendías la mano para tocar a tu otro yo. Ese toque causó ondas en el tejido de la realidad, y la abertura se cerró violentamente. Cuando te encontramos, inconsciente, ya tenías el inmenso regalo que son tus poderes…

La voz de Súper Órbita se hace más suave hasta apagarse, y mira con ojos llorosos a su marido. Míster levanta la cabeza y encuentra su mirada.

–Lo primero que vi al abrir los ojos fue tu cara, pichurrina. No fueron mis poderes el regalo que conseguí aquella noche, sino tu amor.

–¡Míster!

–¡Papá! ¡Has vuelto!

Los tres se lanzan a los brazos de Míster que los acoge con una gran sonrisa en los labios.

–Y ahora ponedme al día ¿Dónde estamos? ¿Qué ha hecho ese villano del Doktor? ¿Lasercán está bien?

¡MWAHAHAHA!

La malvada risa del Doktor resuena por toda la base alienígena.

Amenaza lunar

–¡Mis queridos terrícolas!, prestad mucha atención. Como ya habréis adivinado, esta es una base alienígena más antigua que toda la civilización humana. Lleva aquí mucho tiempo. Lo que seguro no sabéis es que está concebida como un laboratorio: ¡un laboratorio para experimentar creando vida en el planeta Tierra!

Súper Órbita sale disparada al oír la voz del Doktor. Rápidamente conecta una de las terminales alienígenas y con cara de concentración empieza a trabajar, intentando descifrar las funciones del computador.

–Oh, no me miréis así –continua el Doktor–,

no sé, y posiblemente nunca lo sabremos, si la vida en la Tierra fue creada aquí. Ni tampoco por qué los antiguos constructores de la base decidieron abandonarla. Pero la parte más interesante es esta: los alienígenas instalaron un mecanismo para acabar con el experimento si algo salía mal. Un seguro de vida, si queréis verlo así.

En ese momento el suelo tiembla, las luces de la base parpadean y un terrible rugir se eleva desde el interior de la luna. Maya se abraza a Míster asustada y Nico se revuelve nervioso.

–**¡MWAHAHAHA!**... ¡Y es ese seguro de vida el que hoy pone en peligro vuestra vida y la de toda la humanidad! **¡MWAHAHAHA!** ¡Eso que notáis es el encendido del mecanismo! Cuando el motor lunar se haya cargado lo suficiente, frenará la luna ¡y esta comenzará a caer hacia la Tierra! ¿No es maravilloso? ¿No es elegante? ¿No es la solución perfecta de los alienígenas para acabar con toda la vida en la Tierra, con el experimento fallido? ¡Hoy, humanos, VOSOTROS sois el experimento con el que acabaré!

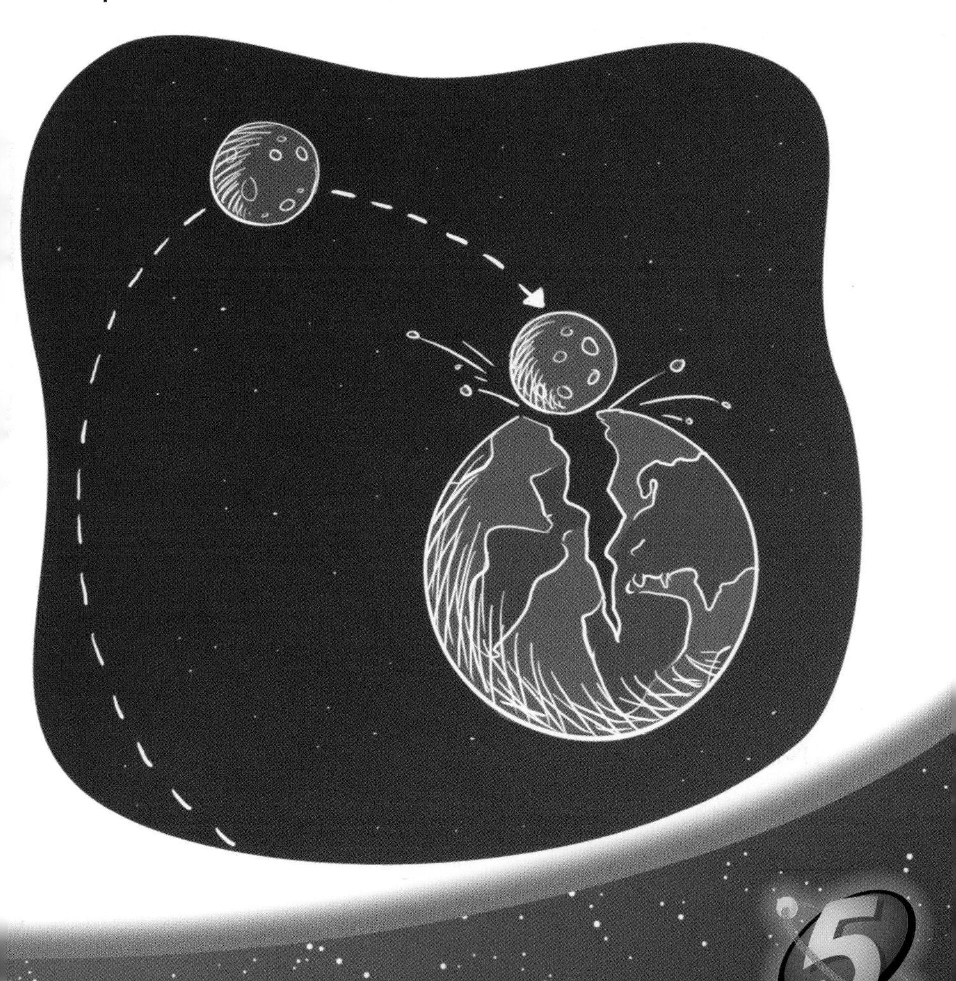

Súper Órbita presiona un último símbolo y en la pantalla aparece el Doktor Eklipse en una sala llena de monitores. ¡Ha conseguido *hackear* las cámaras del centro de control! El Doktor le habla a un extraño micrófono mientras sus soldados vigilan las entradas de la sala.

–Solo hay una forma de evitar que esto suceda: que el grandullón se entregue voluntariamente. No le haremos daño, será llevado a nuestro planeta natal, Krgonia, donde podrá conocer a Su Temible y Exaltada Majestad, Eterna Dama del Imperio… ¡la Emperatriz Krgonz!

–¡No! –gritan a la vez Maya y Nico–. ¡Papá, no puedes entregarte!, ¡tiene que haber otra forma!

–Sí que la hay –Súper Órbita señala a la imagen del Doktor Eklipse en la consola–. El Doktor esta usando un súper traductor para programar los computadores de la base. Así es como ha encontrado el motor lunar y lo ha encendido para amenazarnos.

El Doktor sale del campo de visión, pero en el monitor donde trabajaba quedan a la vista unos símbolos alienígenas que se parecen mucho a una cuenta atrás.

–Si conseguimos robarle el súper traductor y accedemos al centro de control, estoy segura de que puedo apagar el motor lunar antes de que se dispare... ¡pero tenemos poco tiempo!

Míster es el primero en reaccionar.

–¡Vamos! La existencia de la humanidad está en juego... y tenemos que enseñarle una lección a ese enano verde: ¡A los Cinco Cinéticos no les asustan las amenazas!

–Teniente, ¿está el robot de combate número tres en posición?

–Sí, Su Malignidad, en posición y listo.

–¡Bien! Voy a ultimar los preparativos en el artefacto alienígena que hemos encontrado, el R.R. lo he llamado... ¡El Rayo Reductor!

–Eh... sí, Su Malignidad.

–No creo que los humanos sean tan estúpidos como para entregarse... sin embargo, si lo hacen, capture rápidamente a la hembra y a los cachorros... y tenga cuidado con los pequeños, ¡son peligrosos!

El Doktor sale del centro de control a revisar el elemento clave de su plan: El R.R. Solo de pensar lo que le espera al humano grandullón se le escapa una risita...

¡MWAHAHAHA!...

El último combate

Míster se acerca sigilosamente al pasillo que conduce al centro de control. Tras él, toda la familia le sigue dispuesta a lo que sea.

–¿Recordáis el plan verdad? Lo importante es conseguir el súper traductor y acceder al ordenador principal del centro de control –susurra Súper Órbita.

Míster dobla la esquina y avanza por el pasillo hacia la puerta del centro de control. Antes de que nadie pueda seguirle, se oye un zumbido de baja intensidad.

–¿Pero qué...?

Míster no tiene tiempo de decir nada más.

Oculto en un panel lateral del pasillo, el rayo reductor del Doktor Eklipse impacta de lleno en su pecho y empieza a hacer efecto instantáneamente. A Míster le parece que toda la sala se hace más y más grande, ¡pero lo que ocurre realmente es que él empieza a hacerse más y más pequeño hasta tener la altura de una bombilla! Míster flota en medio de la habitación, confuso. Su familia le mira horrorizada y en ese momento se abre la puerta del centro de control. El robot de combate número tres entra en el pasillo con sus patas rechinando sobre el suelo de metal.

–«Objetivo localizado. Activar programa de combate dos: capturar objetivo... nnnnnnnkkk».

El robot extiende su brazo izquierdo acabado en garra y atrapa a un aturdido Míster, que aún no sabe lo que está pasando.

–Oh no... otro robot no...

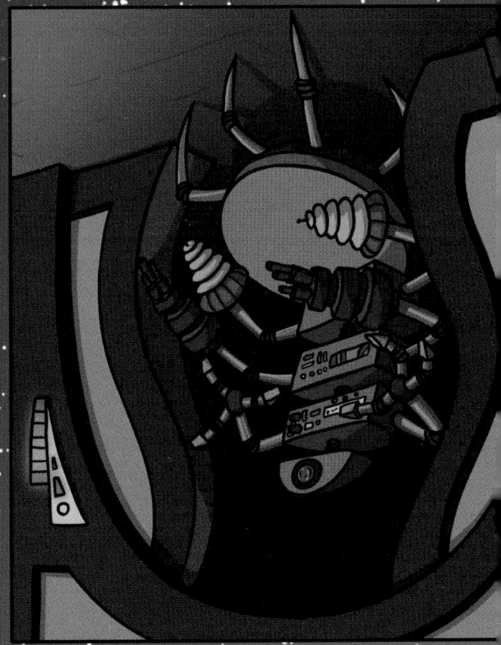

¡Y esta vez el robot es mucho más grande que él! El robot echa a andar hacia la entrada de la base aprisionando a Míster en su garra.

–¡Suéltale, monstruo de acero! –grita Neutrín, saltando frente al robot para cortarle el paso.

–¡Nico!

Súper Órbita y Microonda gritan a la vez, pero es tarde. El robot gira la cabeza y con el cañón de su otro brazo apunta a Neutrín, que palidece. Cerrando los ojos activa su poder justo cuando el robot hace fuego. Los proyectiles atraviesan a Neutrín y agujerean el suelo.

–«Nnnnnnnkkkkkkkk... No amenaza... activar rutina de retirada veintisiete... nnnnnnnnkkkkkk».

Ignorando a Nico, el robot continúa su marcha. Por toda la base se extiende un temblor y un rugido sordo. ¡Parece que la luna entera está a punto de echar a andar!

–Vosotras ocupaos de desactivar el motor lunar… ¡yo voy a ayudar a papá! –ordena Neutrín, y sin más echa a correr tras el robot.

–¡Agghhh! ¡Mamá, este niño es insoportable! ¡Nunca hace lo que tiene que hacer! –protesta Maya enfurecida.

Súper Órbita está a punto de decir algo cuando, por el rabillo del ojo, ve cómo dos soldados

Krgonz toman posiciones en la puerta del centro de control y se disponen a abrir fuego.

–¡Microonda, cuidado!

Súper Órbita se lleva la mano al cinturón mientras de un salto se interpone entre Microonda y el peligro. Los soldados abren fuego con sus rifles de plasma: un disparo pasa sobre ellas, pero el otro impacta directamente en el pecho de Súper Órbita, que cae derribada en un estallido de luz azul.

–¡Mamá!

Microonda reacciona con toda la fuerza de su poder y extendiendo los brazos emite una radiación letal. Sus ojos brillantes son lo último que ven los soldados Krgonz antes de quedar carbonizados y reducidos a cenizas. Respirando pesadamente, Maya se da la vuelta, con el corazón encogido, para ver cómo está su madre.

–¡Estoy bien Maya! –la tranquiliza la Doctora–.

No había probado el generador de escudo portátil y podemos decir que ha sido un éxito... aunque parece que los disparos de plasma lo sobrecargan con un solo impacto. ¡Vamos! ¡Tenemos que encontrar al Doktor Eklipse y su súper traductor antes de que sea demasiado tarde!

Entre tanto, Míster se da cuenta de la situación y comprueba que está atrapado en la garra de un robot gigante. Apoyando las manos contra ella, Míster se tensa y pone en juego su tremenda fuerza: con un crujido, revienta la garra del robot y sale de su prisión volando como un pajarillo.

–«***Nnnnnnnnnnnnnkkkkkkkkkkkk... Objetivo localizado. Activar programa de combate dos: capturar objetivo... nnnnnnnnnnnkkkkkk***».

El robot intenta agarrarlo, pero Míster es más rápido y además es un objetivo muy pequeño. Míster vuela como una bala y golpea la cabeza

del robot con fuerza. El robot se tambalea.

–¡Ja! ¡Chúpate esa! ¡Oh, oh!

Míster intenta escapar, pero no le da tiempo: treinta toneladas de robot le caen encima. Y eso, aunque tengas superpoderes, duele. El robot se levanta y con su garra dañada, atrapa a Míster por el pelo y lo sostiene ante él. Míster, aún atontado, ve el enorme ojo rojo del robot y, sin pensarlo, se lanza volando a por él. Choca contra el ojo con los puños por delante, empuja con todas sus fuerzas y un instante después, sale por el otro lado de la cabeza del robot.

–«Nnnnnnnnnkk... Desconexiióooooooooonnnnnn...».

Sin un procesador que lo controle, el robot de combate número tres se derrumba.

–¡Bueno! Y ahora a ver cómo recupero mi tamaño normal y encuentro al Doktor.

TONK

Las paredes de toda la base tiemblan ligeramente, el ruido del interior de la luna va ganando intensidad. Míster se va volando a toda velocidad... sin fijarse en una silueta nariguda que se desliza hasta llegar a lo que queda del robot de combate número tres.

–¡Chatarra!, ni siquiera pudiste llevarlo hasta la nave –se enfada el Doktor propinándole una patada al maltrecho robot.

A continuación saca de uno de los bolsillos del cinturón un pequeño escaner y apunta en todas las direcciones de la sala.

–¡Y por lo que veo no fuiste capaz ni de hacerle sangrar!! ¡Maldición! ¿¿Qué voy a decirle a la Emperatriz ahora??... No me queda más remedio que...

En ese momento, el ruido que emite el aparato cambia y se hace más agudo. El Doktor se agacha junto a la garra agujereada del robot, y abre los dedos despacio, con mucho cuidado.

–**¡MWAHAHAHAHAHA!**... la suerte me sonríe... **¡MWAHAHAHAHA!**...

El Doktor sostiene entre sus dedos un pequeño mechón de pelo de color verde. Con mucho cuidado, introduce su tesoro en un compartimento del cinturón.

–Y ahora, antes de irnos, veamos si podemos acelerar la activación del motor lunar.

El Doktor se acerca a una de las terminales de la base y apoya el súper traductor sobre la pantalla. El aparato proyecta un holograma sobre el aire donde se leen, en símbolos Krgonz, aquello que en la pantalla de la terminal no son más que incomprensibles signos alienígenas. Esta punto de introducir un nuevo comando cuando de la pantalla surge una mano enguantada que se

materializa y agarra el súper traductor. El aparato se vuelve inmaterial y desaparece atravesando la terminal.

–¿¡Quéee?! –el Doktor mira estupefacto cómo la cara de Neutrín surge de la pantalla y le saca la lengua.

–¡Esta vez te quedas con un palmo de narices, Doktor Enano! –ríe Neutrín mientras desaparece atravesando el terminal.

–¡¡Maldición!! Ese pequeñajo me las pagará. Pero no importa, tengo algo que satisfará a Su T.E.M.E.D, algo que compensará no haberle podido llevarle al grandullón... **¡MWAHAHAHA!**... ¡ahora solo tengo que salir de esta roca inmunda!

Y sin más, el Doktor echa a correr hacia la salida de la base.

–¡Mrrrba! ¡Qutdsintegrrr!*

El soldado Krgonz apunta a Microonda con su

Nota del traductor Krgonz: ¡Manos Arriba! ¡Quietas u os destintegramos!

fusil de plasma y no titubea ni un instante. Súper Órbita está sentada en una terminal del centro de comando y otro soldado Krgonz apoya el cañón del fusil en su nuca.

–¡Maldición! –murmura súper Órbita.

Estaban tan concentradas en descifrar el sistema del motor lunar que no oyeron como los soldados se deslizaban a su espalda. Frente a ella, la pantalla alienígena pinta una situación muy negra. Aunque no puede entenderlo todo, parece que los niveles de carga del motor lunar casi están al máximo. Y una vez arranque y saque a la luna de su órbita... no quiere ni pensarlo. Microonda mira a los soldados Krgonz con cara de pocos amigos y parece que está dispuesta a intentar alguna locura.

–Maya, no –Súper Órbita levanta despacio las manos mientras activa su comunicador con la barbilla–. Nos rendimos, no podemos escapar. ¿Quién sabe adonde querrán llevarnos desde el centro de control?

Maya no puede evitar sonreír un

poco. Su madre está pidiendo ayuda a Míster y a Neutrín, que están en alguna parte de la base. Míster oye la transmisión de Súper Órbita y frena en seco.

–¡Maldiciones y diablos! Mis chicas están en apuros... ¡y yo perdido en esta maldita base! –protesta mirando los cuatro pasillos que le rodean.

En ese momento, un rayo de luz rojo llega en su ayuda: ¡Lasercán!

Maya y Súper Órbita se dirigen hacia la salida del centro de control, encañonadas por dos soldados Krgonz. Otros dos soldados vigilan la entrada con sus fusiles preparados.

–¡Tlmp. Dksprra! ¡Vm!*

Uno de los soldados abre la puerta del centro de control para a salir al pasillo y un rayo de luz roja se cuela por la puerta. En un instante, el rayo rebota en los cuatro soldados y se entrevé la

Nota del traductor Krgonz: Todo esta limpio. El Doktor nos espera, ¡vamos!

silueta de un perro cada vez que el rayo se detiene un microsegundo en cada soldado. Los cascos vuelan, las armas caen al suelo, las caras se hinchan y se amoratan a velocidad vertiginosa. Los cuatro soldados se desploman inconscientes y Lasercán se planta delante de las chicas, que aún tienen los brazos levantados.

–¡Lasercán!

Ambas se lanzan a abrazarle y Lasercán sonríe y se deja abrazar y rascar tras la oreja.

–Os oí desde la nave y pensé que necesitabais ayuda. He tenido que recorrer casi toda la base para encontraros, pero no me ha llevado mucho tiempo.

Un inmenso CRACK se oye en las profundidades de la luna y el rugido se eleva en intensidad. Ahora ya casi no pueden oírse y el suelo tiembla tanto que tienen que agarrarse a las terminales.

Súper Órbita se sienta de nuevo y comienza a teclear furiosamente.

–¡No sé cómo pararlo! ¡Sin el súper traductor no podré encontrarlo a tiempo!

En la pantalla se puede ver un diagrama de la luna y el inmenso motor lunar marcado en rojo. Las barras junto al motor están llenas y lo que parece una cuenta atrás ya solo tiene un símbolo, que cambia de valor descendiendo inexorablemente.

–¡Mira mamá, es el Doktor! –Maya señala una pantalla secundaria en la que se ve al Doktor Eklipse entrando en su nave con una inmensa sonrisa. Instantes más tarde, la nave se eleva en el cielo estrellado.

–¡Oh, no! ¡Ahora no!. Ahora no tenemos ninguna posibilidad. ¡Estamos perdidos!

La Doctora mira al azul brillante del planeta Tierra que se ve en otro monitor. Todos los millones de personas allí abajo cuya vida está a punto de finalizar en un cataclismo tan grande como jamás nadie había imaginado… la luna cayendo sobre la Tierra... el impacto, el cráter tan grande como un continente, los terremotos de replica, la nube que cubrirá el sol en todo el planeta... la muerte de miles de millones de seres vivos... Y entonces, Nico aparece atravesando el techo de la sala y cae a los pies de Súper Órbita.

–¡Diablos, qué grande es este sitio! –dice alargando la mano que esconde algo.

El súper traductor.

Súper Órbita se queda atónita durante un segundo. Coge el súper traductor, lo coloca frente a la pantalla y el aparato traduce el símbolo de la cuenta atrás en un holograma que flota frente a sus caras:

2

Súper Órbita presiona veloz los botones: su mente increíblemente rápida, la lleva a velocidad

de vértigo a través de los menús, leyendo las etiquetas proyectadas por el súper traductor.

1

El último mensaje:

–«¿Está seguro que desea detener el fin del experimento?».

Súper Órbita presiona el SÍ.

Y el rugido bajo sus pies muere con un sonido de perdida de velocidad.

Maya, Nico, Lasercán y Súper Órbita suspiran profundamente.

En ese momento entra por la puerta Míster, aún de tamaño minúsculo.

–¿Dónde está el Doktor? ¿Dónde está el súper traductor?

Los Cinco Cinéticos se miran por un instante y todos se echan a reír disipando la tensión a carcajada limpia, soltando todo el estrés de las últimas horas.

Todos menos Míster, que aún no entiende nada.

Epílogo

En el vacio del espacio, la nave Infiltradora Krgonz se desliza a gran velocidad. En su cabina, el Doktor Eklipse opera los mandos de la nave con una sonrisa.

–El rumbo esta fijado... me aproximo al nexo que me llevará a Krgonia. Bién... cuando la Emperatriz vea el regalo que le traigo me pondrá al mando de una division espacial... –el Doktor se frota las manos maléficamente–. Un regalo muy especial sí... ¡el código genético del humano con poderes!... sí... Como es la única hembra de nuestra especie, la Emperatriz es la mayor autoridad en genética del universo conocido.... ¡después de todo, es la madre de todos los Krgonz de todas las castas!... y cada vez que conquistamos un pueblo nuevo, selecciona las mejores partes de su codigo genético y lo incorpora al nuestro, al código Krgonz… ¡La próxima generación de Krgonz será algo espectacular! ¡¡Magnifico!! Con los poderes de ese humano, los soldados Krgonz serán imparables… **¡MWAHAHAHA!**… ¡Entonces la Tierra no podra resistirse! ¡Yo, personalmente, dirigire su invasión y su esclavitud! ¡¡Los Krgonz nos expandiremos por toda la Galaxia!! **¡MWAHAHAHAHAHAHAHA!**… y todo gracias a ese humano grande y tontorrón…

¡MWAHAHAHAHAHA!

Dejémosle
viajar a Krgonia con
su tesoro y sus noticias para la
T.E.M.E.D. ¿Realmente podra la Emperatriz
replicar los poderes de Míster en sus soldados? Y
el Doktor... ¿Cuáles son sus planes para la Tierra?.

METEORITO: Roca que órbita alrededor del Sol. Se llama meteorito cuando su tamaño está entre el de un grano de arena y unos 50 metros de largo. Si son más grandes, se les llama asteroides. Cuando un meteorito cae a la Tierra y lo podemos ver se le llama meteoro o estrella fugaz.

CINTURÓN DE ASTEROIDES: Es una región del Sistema Solar poblada por multitud de asteroides y meteoritos. Forma una banda, como un cinturón, entre Marte y Jupiter.

TORMENTA DE METEORITOS: Los meteoritos cuando se cruzan con la Tierra en el espacio, caen hacia ella muy deprisa. Al entrar en contacto con el aire, el rozamiento hace que ardan y dejan estelas brillantes en el cielo. Esto es lo que vemos desde el suelo: estrellas fugaces que cruzan el cielo. Cuanto más grande es el meteoro, más brilla y los más grandes se pueden ver a la luz del día. Cuando se ven muchas estrellas fugaces se le llama tormenta de meteoritos.

VELOCIDAD SUPERSÓNICA: Velocidad más rápida que el sonido. El sonido se mueve a través del aire a una velocidad de 340 metros cada segundo, es muy rápido: Eso es como 1220 Kilómetros por hora. Todo objeto que vuele más rápido que el sonido se dice que es supersónico. Algunos aviones pueden volar a velocidad supersónica.

ENTRADA ATMOSFÉRICA: Cuando un cuerpo entra en la atmósfera de la Tierra desde el espacio, normalmente lo hace con mucha velocidad. Esto causa que al rozar con el aire, el cuerpo se caliente tanto que normalmente se prende y arde. Este calor es suficiente para quemar la mayoría de meteoros que caen a la Tierra y nunca llegan a tocar el suelo.

RAYO LÁSER: Es un rayo de luz coherente. Eso significa que hay tanta luz, tan apretada y junta, que es capaz de calentar o cortar objetos. Aunque sea muy débil, nunca es seguro mirar a un rayo lasér directamente, pues nuestros ojos son muy sensibles a la luz. En la ciencia ficción, los rayos lasér son tan poderosos que se usan como arma.

SATÉLITE: Se llama satélite natural a cualquier objeto que órbita alrededor de un planeta. Normalmente el satélite es mucho más pequeño y acompaña al planeta en su órbita alrededor de la estrella a la que órbita. Se llama satélite artificial a un objeto fabricado por el hombre que gira entorno a la Tierra, la luna o a otros planetas o satélites naturales.